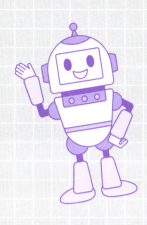
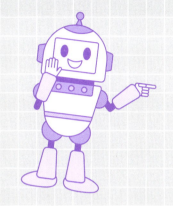

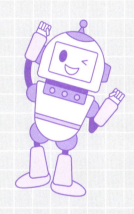

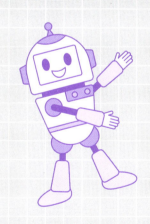

JN225810

はたらくロボットずかん ⑥

きけんな場所ではたらくロボット

監修 平沢岳人
（千葉大学大学院工学研究院教授）

小峰書店

はじめに

人が行けない場所ではたらく

　日本は海にかこまれ、豊かな自然にめぐまれていますが、地震や台風などの自然災害がおきやすい国でもあります。2011年におきた東日本大震災では、大きな被害をうけ、人が行けないきけんな場所ではたらくロボットが、よりもとめられるようになりました。地震でくずれた建物の中から人をたすけだしたり、放射能のきけんがあるところで作業をしたりすることも、ロボットならできるからです。

　また、深海や宇宙も人はかんたんには行けません。しかし、ロボットが調査をすることで、少しずついろいろなことがわかってきました。ロボットが、人間の活動の場を広げてくれているのです。人間にとってきけんな場所も、ロボットにはふつうの「しごと場」なのです。

　このシリーズでは、今、かつやくしているロボットや、これからかつやくしそうなロボットをしょうかいします。この本では、おもにきけんな場所ではたらくロボットたちを見ていきます。

　この本を読み終えたみなさんは、大人が考えもしなかった「きけんな場所ではたらくロボット」を思いつくかもしれません。そんなふうに、みなさんがロボットに少しでも興味をもつきっかけに、この本がなれたのなら、とてもうれしく思います。

平沢岳人
（千葉大学大学院工学研究院教授）

この本の見方

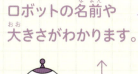

ロボットの名前や大きさがわかります。

高さ
はば

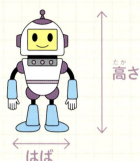

「奥行き」は、ロボットのしゅるいや形によって、「長さ」にかわる場合があります。

奥行き

どのようなときに、人間の手だすけをしてくれるロボットなのかがくわしく書かれています。

どうして、このロボットがつくられたかが書かれています。

ロボットがつくられる、きっかけとなった、人間の「こまりごと」がわかります。

このロボットがあれば、わたしたち人間に、どのように役立つかがわかります。

ロボットがどのようなしくみで、うごいたり話したりしているかがわかります。

どこがすごいのか、ロボットのひみつがわかります。

「もっと知りたい！ はたらくロボット」では、ほかにもかつやくしているロボットたちをしょうかいします。

名前や大きさ、どのようなロボットなのか、ロボットの「ここがすごい！」ところがせつめいされています。

ぼくは、ロボタ。この本を案内するよ。きけんな場所ではたらく、ぼくのなかまたちを見にいこう！

きけんな場所ではたらくロボットたち

空撮調査ロボット
6ページ

トンネル工事ロボット
27ページ

重機型災害支援ロボット
26ページ

地雷除去ロボット
29ページ

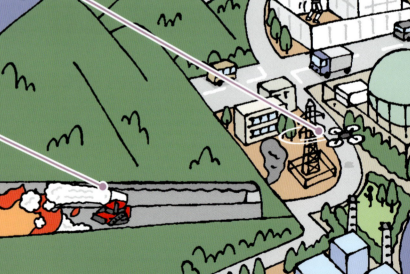

消火ロボット
14ページ

廃炉作業ロボット
18ページ

人型災害支援ロボット
22ページ

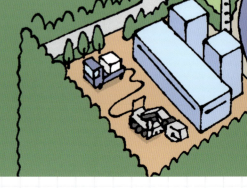

この本では、きけんな場所ではたらくロボットたちをしょうかいします。
深海や宇宙、災害がおこった場所で、人びとのねがいをのせてはたらいています。
ロボットが、どのように人をたすけてくれているのか、見ていきましょう。

空からさつえいして、地上のようすをしらべる

空撮調査ロボット

人間が行けない高いところからしらべられるよ

　人びとの生活になくてはならない、電気やガス、水道にかかわるしせつや、道路や鉄道、港などを「インフラ」といいます。
　蒼天は、「無人航空機」とよばれる小型ドローンで、インフラのしせつを空からさつえいしてしらべる、空撮調査ロボットです。また、災害がおきたときに、とんでいって、被害のようすや、にげおくれてとりのこされている人たちがいないかを、知らせるしごとにも利用されています。

このロボットは、どうしてつくられたのでしょう？

写真：WorldLink & Company

名前	蒼天（小型空撮ドローン SOTEN）
はば	63.7cm
奥行き	56cm
高さ	15.3cm
重さ	1.72kg

建物の屋根についている、太陽光発電につかわれる太陽光パネルの点検をしています。空からさつえいした映像は、パソコンなどで同時に見ることができ、かわったことがあればすぐにわかります。

? このロボットはじこや災害にそなえるためにつくられました！

橋を点検する人のこまりごと

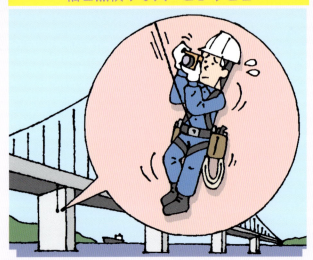

ロープ1本で体をささえて、橋を点検しています。風が強いときは、きけんをかんじます。

市役所の人のこまりごと

大雨がふったとき、川の水があふれて、まちにながれこんでこないか、とても心配になりました。

じこや災害がおきたときだけでなく、おきる前からそなえられる

　災害がおきたときは、早く被害のようすを知ることが大切です。しかし、もっと大切なのは、おきる前にきけんな場所をしらべておくこと、生活になくてはならないインフラのしせつを日ごろから点検しておくことです。

　このロボットがあれば、川の水があふれそうな場所や、土砂くずれがおきそうな場所、しせつのこわれたところをしらべて、災害やじこにそなえることができます。

教えて！ロボットのしくみとひみつ

しくみ

ステレオカメラ
左右のカメラで見ることで、人間の目のように、ものの奥行きがはかれます。機体の後ろと下にもあります。

赤外線センサー
本体の後ろと下についていて、自分と、まわりのものとのきょりをはかります。

プロペラ
4つを回転させることで、上に上がったり、前にすすんだりするだけでなく、全方位（すべての方向）にうごかせます。

LEDライト
光らせることで、機体の姿勢や向きを見やすくして、まわりに自分のいる場所を知らせます。

カメラ
かたむきやゆれをおさえる機械がついていて、ぶれのない動画や写真がとれます。

アーム
プロペラやプロペラを回すモーターをさえます。はこぶときは、おりたためます。

ひみつ1 どのくらいの高さまでとべるの？

いちばん高くて2000mの高さまでとばせます。そして、カメラをつんでいても、1回とぶと25分間はとびつづけられます。外ではたらくためのロボットなので、雨や風、土ぼこりにも、とても強くつくられています。

ひみつ2 どうやってロボットをとばすの？

ロボットをうごかす人は、送信機をつかって地上からそうさします。しかし、しらべる場所と着陸する場所をきめておくと、人が送信機でうごかさなくても、自動でとんでいって、しらべた後にもどってきます。

送信機

くらしをささえるしせつを見回る
インフラ点検ロボット

名前	SP02
はば	62.7cm
奥行き	85.2cm
高さ	90cm
重さ	82kg

　SP02は、電気やガス、水道など、くらしをささえるインフラのしせつの中をひとりで回って、点検してくれるロボットです。しせつの中に、きけんなものがおかれていないかをたしかめたり、たくさんのしゅるいのメーターを読みとって記録したりできます。
　一度、しせつの中を走らせると、自分が移動するための地図をつくります。この地図をつかって、きめられた時間にきめられた場所を、1日に何回も回って自動で点検してくれます。

このロボットは、どうしてつくられたのでしょう？

写真：正興電機製作所

建物の外も点検できるように、段のあるところをのりこえたり、坂道をのぼったり下ったりできます。また、少しくらいの水たまりなら、すすむこともできます。

きけんだけど、大切なしせつを点検しているんだ

? このロボットはインフラの安全をまもるためにつくられました！

発電所で点検をする人のこまりごと

作業中は、電気を通さない手ぶくろをしていないと、感電するきけんがあります。

ガスの工場で点検をする人のこまりごと

ガスのばくはつがおきることもあるので、注意して作業しています。

きけんな作業をまかせて、インフラの安全をまもることができる

発電所やガスの工場など、くらしをささえるインフラのしせつの点検は、きけんでむずかしいしごとです。感電したり、ガスのばくはつがおきたりすることもあるので、人間よりもロボットのほうが向いています。

このロボットがあれば、人間がしていたきけんな作業をまかせられます。また、休まずになんども点検できるので、大切なインフラの安全をまもることができます。

教えて！ロボットのしくみとひみつ

しくみ

赤外線カメラ
目に見えない「赤外線」という光をつかって、暗い場所でもさつえいできます。うつしだした機械や部屋の温度もはかることができます。

レーザーセンサー
目に見えない光を当てて、まわりの場所の広さや、おいてあるものの大きさをはかります。

ライト
点検する建物の中が暗い場合や、夕方から夜の点検の場合に、自動でつきます。

カメラ
写真や動画をさつえいしたり、いろいろなしゅるいのメーターを読みとって記録したりできます。

回転台
ぐるりと回転させられるので、自分の向きをかえなくても、上の2つのカメラの向きがかえられます。

タイヤ
4つのタイヤで、段のあるところでも、10cmくらいならのりこえられます。水の深さが10cmまでの場所もすすむことができます。

ひみつ1 どのように点検しているの？

SP02は、変電所※というしせつでもかつやくしています。多くのメーターを読みとったり、赤外線カメラで機械の温度をはかったりしています。しらべたメーターの数字や機械の温度は、記録して知らせてくれます。

ひみつ2 問題がおきたら、どのように知らせるの？

点検中に道をふさぐものを見つけると、ぶつからないように止まって、はなれた場所でしせつを見まもる作業員のパソコンにつたえます。また、機械の温度が上がっていると、けいほうをならし、まわりにきけんを知らせます。

※変電所…発電所でつくられたとても高い電圧の電気を、家庭や工場でつかいやすい低い電圧にかえるところです。電圧とは、電気がながれようとする力のことです。

消火ロボット

風と水の力をつかって、火を消してくれる

リモコンではなれた場所から安全にうごかせるよ

名前	エアコア（AIRCORE）
はば	165cm
奥行き	300cm
高さ	210〜326cm
重さ	3900kg

写真：モリタ

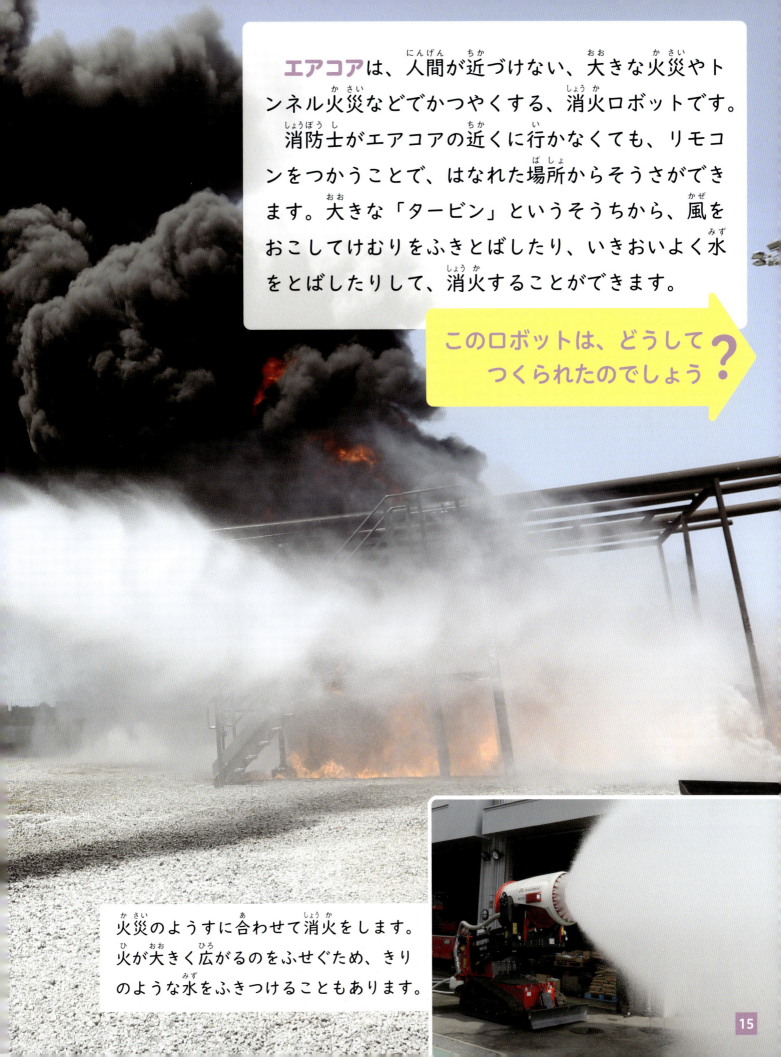

エアコアは、人間が近づけない、大きな火災やトンネル火災などでかつやくする、消火ロボットです。
　消防士がエアコアの近くに行かなくても、リモコンをつかうことで、はなれた場所からそうさができます。大きな「タービン」というそうちから、風をおこしてけむりをふきとばしたり、いきおいよく水をとばしたりして、消火することができます。

このロボットは、どうして
つくられたのでしょう？

火災のようすに合わせて消火をします。火が大きく広がるのをふせぐため、きりのような水をふきつけることもあります。

このロボットはより早く消火するためにつくられました！

消火活動をする消防隊員のこまりごと

火のいきおいが強い火事は、なかなか消せません。水をもっと多く、強く出せるといいのですが……。

救助活動をする消防隊員のこまりごと

大きな工場の火事は、体に害のあるけむりが出ることがあって、とてもきけんです。

大きな火災でも、安全にすぐ火を消すことができる

　大きな火災では、火のいきおいが強く、体にわるいけむりがたくさん出ます。そのため、消防士が近づけず、消火活動がおくれてしまうことがあります。

　このロボットがあれば、リモコンをつかって、はなれた場所から、安全に消火活動をすることができます。水を遠くにとばしたり、水で消せない火事は、薬の入ったあわをふきつけて消したりします。

教えて！ロボットのしくみとひみつ

しくみ

大型タービン
中にある羽を回転させて、風をおこし、風の力をつかって水を遠くまでとばします。

リモコン
リモコンをつかって、300mはなれた場所から、安全にうごかすことができます。

フロントシールド
すすむ道に、じゃまなものがあれば、おしのけながらすすむことができます。

クローラー
タイヤのかわりに、車輪にベルトをまいた、クローラーがついています。

ひみつ1 どんな場所でもすすむことができるの？

火災は、どんな場所でおこるかわかりません。エアコアは、タイヤより地面に当たる面が広いクローラーで走ります。そのため、でこぼこした道や、かたむいた道でも、たおれることなくすすむことができます。

ひみつ2 どのくらい遠くに水をとばすことができるの？

いきおいよく水をとばすジェット放水モードでは、80m先まで水をとばせます。1分間に4000リットル（おふろの浴槽およそ20ぱい分）の水を出せます。きりのような水をふきつけるミストモードでは、60m先までとどきます。

原子力発電所にのこされたものをかたづける
廃炉作業ロボット

名前	フェニックス-H (Phoenix-H)
はば	75cm
奥行き	160cm
高さ	193cm
重さ	500kg

　2011年におきた東日本大震災では、大地震と津波によって、福島第一原子力発電所の原子炉はこわれてしまいました。きけんな原子炉をなくす、廃炉作業を早くすすめなければなりませんが、発電所の中は、人間の体に害のある放射線が出ていて近づけません。
　フェニックス-Hは、放射線の出ている場所でも、はたらける廃炉作業ロボットで、建物の中のようすをしらべたり、がれきをつかんではこんだりすることができます。

このロボットは、どうしてつくられたのでしょう❓

18　写真：白山工業

いきおいよく水をふきだして、建物の中をあらうことができます。水であらいながすことで、放射線の量をへらし、ほかの作業をしやすくします。

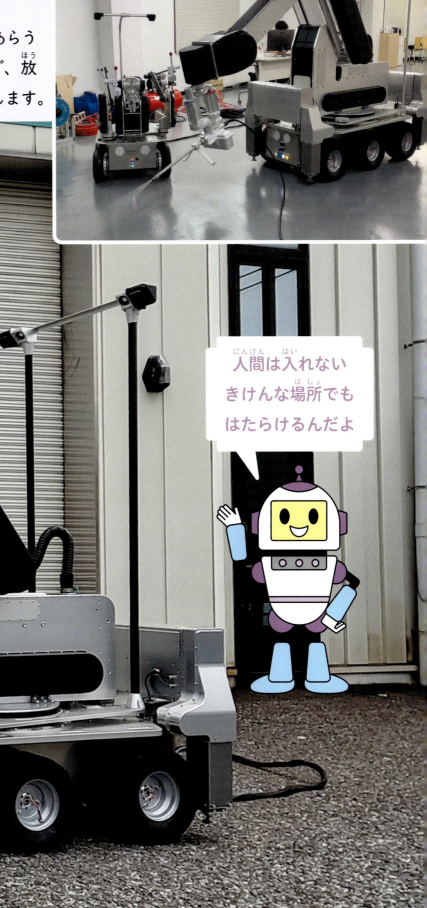

人間は入れないきけんな場所でもはたらけるんだよ

※原子炉…ウランという燃料から「核エネルギー」をつくるためのそうちです。
※廃炉作業…原子力発電所の中にある原子炉をなくす作業です。

19

このロボットは きけんな廃炉作業をすすめるためにつくられました！

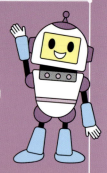

廃炉作業をする人のこまりごと

発電所の中は、放射線が出ていて人が近づけないため、中のようすがわからなくてこまっています。

廃炉作業をする人のねがいごと

はなれた場所からうごかして、がれきをとりのぞいてくれる力の強いロボットがほしいです。

人間にかわって、安全に廃炉の作業をすすめられる

　原子炉の廃炉作業は、なるべく早くすすめなくてはいけません。しかし、強い放射線が出ている、きけんな場所なので、人間は入ることができません。

　このロボットがあれば、安全な場所からそうさをして、廃炉の作業をすすめることができます。カメラでさつえいした建物の中のようすをモニターで見ながら、ロボットをうごかせます。

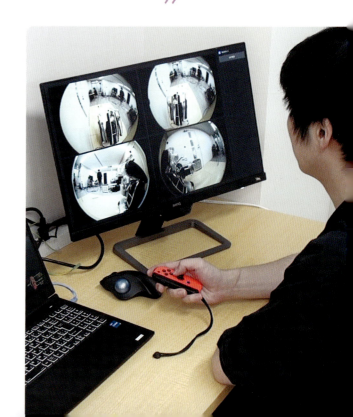

20

教えて！ ロボットのしくみとひみつ

しくみ

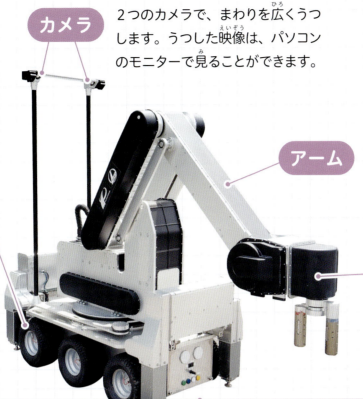

カメラ
2つのカメラで、まわりを広くうつします。うつした映像は、パソコンのモニターで見ることができます。

アーム
人間のうでの役目をするところ。6つの関節を自由にうごかして、180cmまでのばして作業することができます。

タイヤ
でこぼこ道も、6輪で力強くすすみます。また、人間に害のある放射線でよごれても、あらいながしやすくなっています。

ハンド
人間の手の役目をするところ。ハンドの先には、作業に合わせて、いろいろなしゅるいの道具をとりつけられます。

ひみつ1 どのくらい重いものをもち上げられるの？

フェニックス-Hは、重さ150kgまでのものなら、もち上げる力があり、もったままはこぶこともできます。アームは電気の力だけでなく、空気の力もつかっているため、力が強く、スピードをおとさずに作業ができます。

ひみつ2 ハンドをつかってどんな作業ができるの？

鉄やアルミニウムなどの金属を切る、ものをつかむ、水をふきださせるなど、ハンドの先の道具をかえることで、いろいろな作業ができます。また、道具をつけたりはずしたりするそうさは、はなれた場所からできます。

きけんな災害の現場で人間をたすける
人型災害支援ロボット

名前	カレイド（Kaleido）
はば	70cm
奥行き	30cm
高さ	180cm
重さ	86kg

カレイドは、災害がおこったときに、避難所でものをはこんだり、災害の現場でがれきをかたづけたりできる、人型のロボットです。

人間の大人と同じくらいの大きさで、2本の足で歩くことができます。また、建物のドアを開けたり、エレベーターのボタンをおしたりできます。人間ひとりくらいの重さをもち上げる力もあるので、かかえてたすけだすこともできます。

将来は、災害支援ロボットとしてはたらくことが期待されています。

2本の足で人と同じくらいのはやさで歩けるよ

このロボットは、どうしてつくられたのでしょう？

写真：川崎重工業

階段も人間と同じように、荷物をもったまま、バランスをとってのぼりおりができます。

このロボットは、人にかわってきけんなしごとをするためにつくられました！

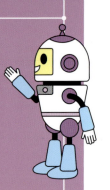

救助隊員のこまりごと

地震でくずれそうな家は、人間が出入りするのがきけんなので、ロボットのたすけがほしいです。

ロボットをつくった人のねがいごと

災害支援だけでなく、ほかのたいへんな作業でも人間をたすけられるようにしていきたいです。

災害支援だけでなく、きけんな作業や力しごとをまかせられる

　災害の現場で、がれきをかたづけて、たおれている人をたすけるしごとは、きけんでたいへんな作業です。そして、きけんなしごとはほかにも多くあり、ロボットにたすけてほしい人もたくさんいます。
　このロボットがあれば、人間にかわって、災害の現場だけでなく、建設や介護のしごともできるので、きけんな作業や力しごとをまかせることができます。

※介護…病気やけがで、体をうまくうごかせない人の世話をすることです。

教えて！ロボットのしくみとひみつ

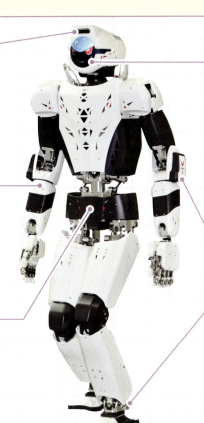

しくみ

ビジョンセンサー
人間の目と同じように、目の前にあるものを見分ける、カメラをつかったセンサーです。

アーム
人間のうでの役目をするところ。人間ひとりくらいの重さのものなら、もちはこべます。

姿勢センサー
ころびかけても、すぐに体のかたむきを計算し、地面に足をつける位置をきめてバランスをとります。

モニター
顔は、ボールのような丸い形のモニターになっていて、動画や文字など、さまざまな映像をうつしだすことができます。

力覚センサー
ひじと足首にある、かるくて小さなセンサーです。うでや足にかかる力の大きさをはかります。

ひみつ1　人間と力を合わせてはたらけるの？

ロボットが人と協力してものをはこぶのは、むずかしい作業です。人は気がつかないうちに、はこぶものをおしたり引いたりと、力を入れています。カレイドは、力をかけられても力覚センサーでバランスをとり、ころばずにはこべます。

ひみつ2　顔のモニターは、何をつたえられるの？

カレイドのモニターは、前にすすむときは「前進」、右にまがるときは「右折」と、自分のすすむ方向を文字でつたえられます。また、顔のさまざまな表情をうつしだして、自分の気もちを人につたえることもできます。

はたらくロボット

がれきの山から人をすくいだす
重機型救助ロボット

援竜は、災害のときにきけんな場所でかつやくするロボットです。こわれた建物の中や、有毒ガスの出ている場所にも、人のかわりに入ることができます。2本のアーム（うで）でがれきをつかんでとりのぞき、とじこめられた人が、にげられるように手だすけをします。

名前	援竜（T-54援竜）
はば	140cm
長さ	540cm
高さ	170cm
重さ	3500kg

ここがすごい！

援竜には、すぐれたセンサーや7台のカメラがついています。そのため、はなれた場所からでも、コントローラーをそうさして、自分のうでのように、アームをうごかすことができます。

上の写真は、援竜が2007年におこった新潟県中越沖地震でかつやくしたときのようすで、下の写真は、建物をばらばらにする、解体の現場ではたらくようすです。ロボットは、どちらもT-53援竜。

写真：テムザック

あながくずれないようにおさえる
トンネル工事ロボット

名前　ロボアーチ
（鋼製支保工建込みロボット）
- はば　412cm
- 奥行き　1708cm
- 高さ　425cm
- 重さ　55.4t

ここがすごい！

鉄のわくは、トンネルのあなにしっかりとめておかなくてはなりません。ロボアーチは、2本のアームでわくをおさえ、1本のアームからコンクリートをふきつけてかためます。

トンネルをつくるときは、あながくずれないように、鉄のわくをはりつけながら、山をほります。**ロボアーチ**は、自動で鉄のわくをとりつけることができる、トンネル工事ロボットです。トンネルの中は、土や岩がおちてくるきけんがあります。しかし、ロボアーチがあれば、安全な運転席でそうさすることができて安心です。

写真：前田建設工業株式会社、古河ロックドリル株式会社、マック株式会社

海の底で、どろや石、生きものをしらべる

深海探査ロボット

かいこうMk-4は、深さ4500mの深海までもぐって、作業ができるロボットです。海の底まで行って、どろや石をとったり、深海の生きものをしらべたりしています。さらに、深海にあるといわれている、とてもめずらしい鉱石や、石油や天然ガスなどの大切なエネルギーがないかもしらべています。

名前	かいこうMk-4
	（無人探査機「かいこうMk-IV」）
はば	200cm
奥行き	300cm
高さ	260cm
重さ	5200kg

マニピュレータ

ここがすごい！

かいこうMk-4には、人間のうでのような「マニピュレータ」があります。マニピュレータの先に、手の役目をするハンドをつければ、海の底でも重さ250kgまでのものをもち上げることができます。

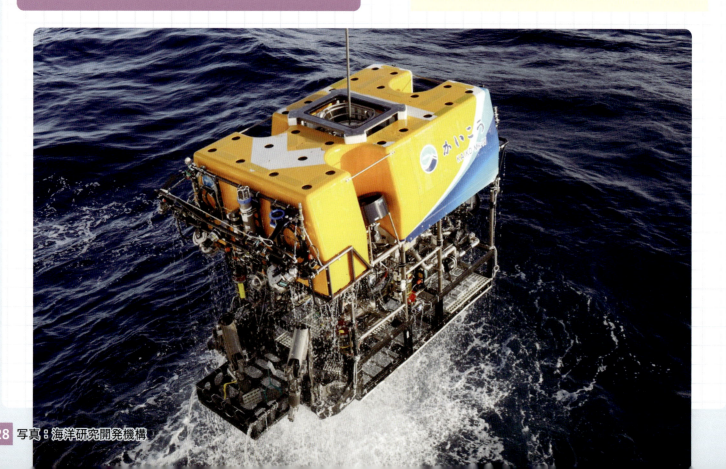

写真：海洋研究開発機構

もっと知りたい！ はたらくロボット

ばくはつさせずにとりのぞく！
地雷除去ロボット

土の中の金属をさがしだす金属探知機や、地雷のにおいをかぎわける地雷探知犬などが見つけた地雷を、DMR-5が安全にとりのぞきます。

DMR-5は、戦争で地面の中にうめられた「地雷」という、ばくだんをとりのぞくロボットです。地雷は、人間や自動車がその上を通ると、ばくはつします。今も世界の60もの国と地域にうめられているといわれています。DMR-5があれば、作業中に大けがをしたり、命をおとしたりする人がいなくなります。

ここがすごい！

DMR-5は、アームの先から空気を強くふきつけることで、地雷をばくはつさせずに、地面をほることができます。作業する人は、地雷から15mはなれた場所で、安全にそうさできます。

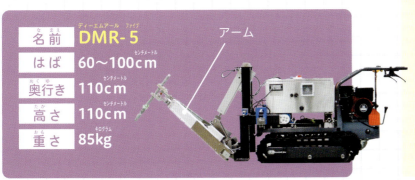

名前	DMR-5
はば	60〜100cm
奥行き	110cm
高さ	110cm
重さ	85kg

写真：IOS

土や岩を地球にもちかえる
火星探査ロボット

名前	パーサビアランス（Perseverance）
はば	270cm
奥行き	300cm
高さ	220cm
重さ	1025kg

パーサビアランスは、火星をしらべるロボットです。火星は遠く、大気もほとんどなく、とてもさむいので、まだ人が行くことはできません。そのため、今はロボットが土や岩をあつめたり、写真をとったりして、火星のようすを地球につたえています。土や岩をくわしくしらべると、火星に生きものがいたかどうかがわかります。

ここがすごい！

火星をより広くしらべるため、パーサビアランスにとりつけられたのが、「小型ロボットヘリコプター」です。地球とは、重力や大気のようすがちがうので、重さをかるくしたり、プロペラをはやく回転させたりといったくふうがされて、火星を空からしらべられるようになりました。

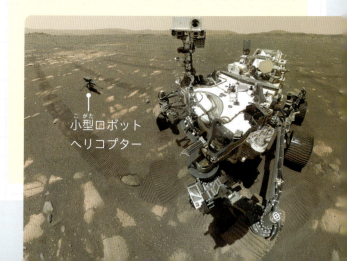

小型ロボットヘリコプター

写真：NASA

もっと知りたい！ はたらくロボット

小さいけれど、月面を走って、地球に写真をおくる
月探査ロボット

LEV-2は、月探査機から外に出た後、自分で走りながら、月の写真をとるロボットです。さつえいした写真は、べつのロボットにデータでおくられ、地球へととどけられます。LEV-2は、月のように空気がほとんどなく、人間がかんたんに行くことができない場所ではたらき、どんなようすか教えてくれるロボットです。

名前	LEV-2
	（愛称：SORA-Q）
はば	8〜12cm
奥行き	13.5cm
高さ	9cm
重さ	228g

ここがすごい！

丸い体は、横に半分に分かれて形をかえ、そのまま左右の車輪になります。砂が多くうごきにくい月面を力強くすすみ、写真をとります。上の写真は、LEV-2が月探査機をさがしてさつえいしたものです。

クレジット：JAXA/タカラトミー/ソニーグループ㈱/同志社大学

31

監修

平沢 岳人 (ひらさわ・がくひと)
千葉大学大学院工学研究院教授。1964年生まれ。東京大学建築学科卒業、同大学院工学研究科修了、博士（工学）。建設省（当時）建築研究所第四研究部、仏建築科学技術センター（CSTB）客員研究員、仏国立情報学自動制御研究所（INRIA）招聘研究員を経て、2004年より千葉大学工学部助教授。建築ものづくりにロボットを応用する研究に従事。

国語指導

流田 賢一 (ながれだ・けんいち)
大阪市立堀川小学校教諭。1982年、大阪府出身。2005年、大阪教育大学教育学部卒業後、大阪市立西淡路小学校に教員として勤務する。2015年、国語科の授業づくり、社会で必要となる力の育成について研究したいという思いから、大阪教育大学連合教職大学院に進学。現在、大阪市立堀川小学校で、首席として他の教職員の指導にもあたっている。

協力企業・団体一覧（掲載順）
株式会社WorldLink＆Company（SkyLink Japan）／株式会社正興電機製作所／株式会社モリタ／白山工業株式会社　極限環境ロボット研究所／川崎重工業株式会社／株式会社テムザック／前田建設工業株式会社、古河ロックドリル株式会社、マック株式会社／JAMSTEC／IOS株式会社／NASA／JAXA・株式会社タカラトミー・ソニーグループ株式会社・学校法人同志社大学

監修	平沢岳人
国語指導	流田賢一
装丁・本文デザイン	倉科明敏（T.デザイン室）
企画・編集	山岸都芳・渡部のり子（小峰書店） 川邊剛彦・古川貴恵・楠本和子・渡邊里紗（303BOOKS）
イラスト	バーヴ岩下

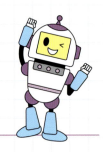

はたらくロボットずかん❻
きけんな場所ではたらくロボット

2025年4月6日　第1刷発行

発行者　小峰広一郎
発行所　株式会社小峰書店
〒162-0066 東京都新宿区市谷台町 4-15
TEL 03-3357-3521　FAX 03-3357-1027
https://www.komineshoten.co.jp/
印刷・製本　TOPPANクロレ株式会社

乱丁・落丁本はお取り替えいたします。
本書の無断での複写（コピー）、上演、放送等の二次利用、翻案等は、著作権法上の例外を除き禁じられています。
本書の電子データ化などの無断複製は著作権法上の例外を除き禁じられています。代行業者等の第三者による本書の電子的複製も認められておりません。

© 2025 Komineshoten Printed in Japan
NDC548　31p　29×23cm
ISBN978-4-338-37106-3

ロボットをしょうかいしよう！

書き方のれい すきなロボットをえらんで、ロボットせつめい書をつくりましょう。

ロボットせつめい書 　2年 2組 名前 こみね みこ

自分がしょうかいしたいロボットをえらんで、□に✓を入れましょう。

☑ 6〜25ページにのっているロボット　　□ 自分で考えたロボット

ロボットの名前　SP02

ロボットの絵

● どこで、どんなことをするロボットですか？

> 水道や電気、ガスなどにかかわるしせつをインフラといいます。SP02は、インフラのしせつを見回ってしらべる、インフラ点けんロボットです。

● だれのどんなこまりごとから、つくられましたか？

> ガスの工場で、点けんをする人は、ガスのばくはつがおきることもあるので、ちゅういしてさぎょうしています。

● どんなしくみやひみつがありましたか？

> 目に見えない「赤外線」という光をつかって、くらい場しょもさつえいできます。きかいやへやのおんどもはかれます。

● このロボットがあれば、わたしたち人間に、どのように役立つと思いましたか？

> インフラにかかわるしせつの点けんは、かん電したり、ガスのばくはつがおきたりと、きけんでむずかしいさぎょうです。SP02なら、きけんなさぎょうをまかせられるので、大切なインフラのあんぜんをまもってくれると思いました。

- えらんだロボットの名前を書きましょう。
- ロボットがいる場所とできることを書きましょう。
- ロボットがつくられたきっかけを1つ書きましょう。
- えらんだロボットの絵をかきましょう。
- すごいと思ったしくみやひみつを1つ書きましょう。
- ロボットがどのようにかつやくし、わたしたちの役に立っているのかを書きましょう。

大阪市立堀川小学校教諭　流田賢一先生より

「ロボットせつめい書」に書かれた質問の答えを、本の中からさがします。クイズに答えるように、大事な言葉を見つけましょう。「だれのどんなこまりごとから、つくられましたか？」という質問の答えは、だれかの「こまりごと」が本の中に書かれているはずなので、さがしてみてください。なんども書くと、短い言葉でせつめいできるようになります。自分で考えたロボットのせつめいにも、つかってみてくださいね。

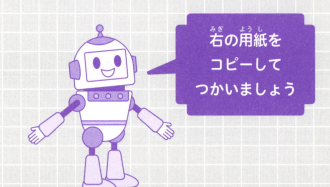

右の用紙をコピーしてつかいましょう